Le bouffon de la classe

Le bouffon de la classe

Robert Munsch

ILLUSTRATIONS DE
Michael Martchenko

Texte français de
Christiane Duchesne

Éditions
SCHOLASTIC

Les illustrations ont été réalisées à l'aquarelle sur du carton à dessin Crescent.
Le texte a été composé en caractères Gill Sans.

Catalogage avant publication de Bibliothèque et Archives Canada

Munsch, Robert N., 1945-
[Class clown. Français]
Le bouffon de la classe / Robert Munsch; illustrations de
Michael Martchenko; texte français de Christiane Duchesne.
Traduction de : Class clown.

ISBN-13 : 978-0-439-93595-1
ISBN-10 : 0-439-93595-4

I. Martchenko, Michael II. Duchesne, Christiane, 1949-
III. Titre. IV. Titre : Class clown. Français.

PS8576.U575C5314 2007   jC813'.54   C2006-905443-6

Édition publiée par les Éditions Scholastic, 604, rue King Ouest,
Toronto (Ontario) M5V 1E1.

7 6 5 4 3   Imprimé à Singapour   09 10 11 12 13

Pour Leonardo Gomez-Varela,
de San Antonio, au Texas
— R. M.

Quand Leonardo était bébé, sa mère riait tout le temps.

— Ce bébé est *teeeeellement* drôle! disait-elle.

Quand Leonardo avait un an, son grand-père et sa grand-mère riaient tout le temps.

— Ce bébé-là est *teeeeellement* drôle! disaient-ils.

Quand Leonardo avait trois ans,
les gens riaient tout le temps.
— Cet enfant-là est
teeeeellement drôle! disaient-ils.

Quand Leonardo était en première année, ses camarades riaient tout le temps.

— Leonardo est *teeeeellement* drôle! C'est le bouffon de la classe!

Mais un jour, son enseignante, Mme Gomez, lui dit :

— Leonardo, ça suffit! Tes camarades rient tout le temps et personne n'apprend quoi que ce soit! ARRÊTE DE FAIRE LE CLOWN!

— D'accord, répond Leonardo, et pour la première fois de sa vie, il cesse de faire le clown.

Au bout d'une minute, Leonardo se sent vraiment bizarre.

Au bout de deux minutes, il se sent un peu malade.

Au bout de trois minutes, il commence à se ronger les ongles.

Au bout de quatre minutes, il se met à se bercer sur sa chaise.

Au bout de cinq minutes, il dit :

— Je sais que Mme Gomez en a assez de me voir faire le clown. Mais il faut absolument que je fasse quelque chose de drôle.

Leonardo se tourne vers sa voisine et fait une grimace.

La fille ne bronche pas.

Leonardo fait alors une grimace vraiment drôle. La fille éclate de rire. Elle rit tellement qu'elle tombe de sa chaise et se roule sur le plancher.

— Assez! crie Mme Gomez.

Mais la fille continue de se tordre de rire.

— ASSEZ! hurle Mme Gomez.

La voisine de Leonardo cesse enfin de rire et se rassoit sur sa chaise.

— Qu'est-ce qui se passe? lui demande Mme Gomez.

— Je pensais à quelque chose de très drôle...

— Il est défendu de penser dans ma classe, dit Mme Gomez.

— D'accord, dit la fille, je ne penserai plus jamais.

— Bien! dit Mme Gomez.

16

Leonardo, lui, n'en peut plus.

— Je sais, dit-il, que Mme Gomez en a vraiment assez de me voir faire le clown, et je sais que je vais avoir de gros ennuis. Mais il faut absolument que je fasse encore quelque chose de drôle.

Leonardo se penche vers son voisin et lui raconte une blague.

Le garçon ne bronche pas.

Leonardo lui raconte alors une blague très, très drôle. Le garçon éclate de rire. Il rit tellement qu'il tombe de sa chaise, se roule sur le plancher et renverse son pupitre.

— Assez! crie Mme Gomez.

Le garçon se tord toujours de rire sur le plancher.

— ASSEZ! hurle Mme Gomez. Qu'est-ce qui se passe?

— Je me suis souvenu d'une chose très drôle, dit le garçon.

— Tu ne dois pas te souvenir de quoi que ce soit dans ma classe, dit Mme Gomez.

— D'accord, dit le garçon, je ne me souviendrai plus jamais de quoi que ce soit.

— Bien! dit Mme Gomez.

Leonardo tient le coup pendant quelque temps. Mais après le dîner, il n'en peut plus.

— Je sais, dit-il, que Mme Gomez en a vraiment, vraiment assez de me voir faire le clown, et je sais que je vais avoir de gros ennuis. Mais il faut absolument que je fasse quelque chose de drôle une dernière fois.

Pendant que Mme Gomez écrit au tableau, Leonardo fait un dessin très comique et le tient bien haut pour que toute la classe le voie.

Personne ne rit.

Leonardo fait alors un dessin beaucoup, BEAUCOUP plus comique, puis il le tient bien haut. Tous les élèves éclatent de rire. Ils rient tellement qu'ils tombent tous de leur chaise, se tordent de rire sur le plancher et renversent leurs pupitres.

— ASSEZ! hurle Mme Gomez. Qu'est-ce qui se passe?

— C'est Leonardo, crie tous les enfants. Il fait encore le clown!

— Leonardo, dit Mme Gomez, je t'ai demandé de ne plus faire le clown. Maintenant, je suis vraiment, vraiment, VRAIMENT fâchée!

— Bon, ça va, répond Leonardo. Je ne serai plus jamais, jamais, JAMAIS drôle.

Ha! Ha! Ha! fait Mme Gomez qui rit tellement qu'elle en tombe par terre, se tord de rire sur le plancher et renverse son pupitre.

— Leonardo, tu es *teeeeellement* drôle, dit-elle.

C'est à ce moment-là que Leonardo prend une décision : quand il sera grand, il sera clown!